T'choupi au zoo

Illustrations
de Thierry Courtin

Nathan

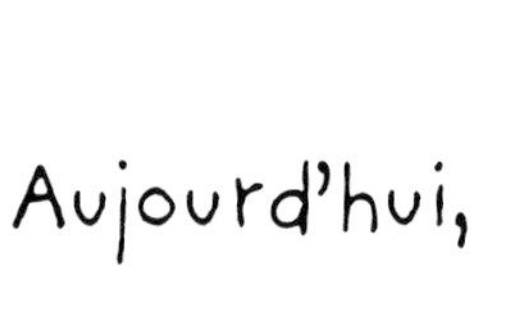

Aujourd'hui, 

va au zoo.

Pendant que sa maman achète les 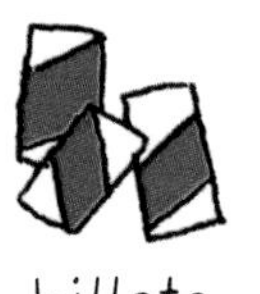

,

T'choupi s'impatiente : il a très envie

de voir les 

!

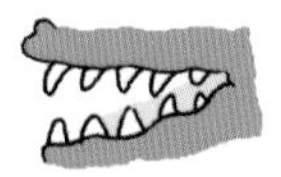

les dents

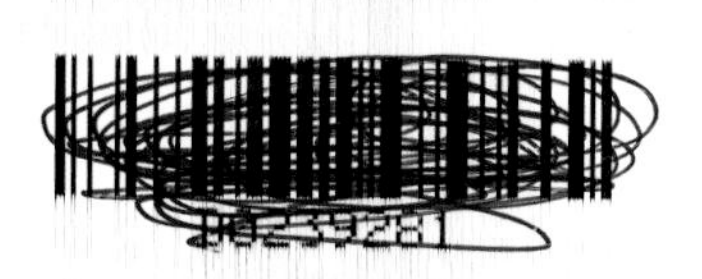

le chameau

le chimpanzé

les défenses

la tortue

les lionceaux

les poissons

le girafon

l'ours

les perroquets

la lionne

le dromadaire

Un personnage de Thierry Courtin
Couleurs : Françoise Ficheux

Loi n° 49.956 du 16 juillet 1949
sur les publications destinées à la jeunesse.
© Éditions Nathan, 2004.
ISBN : 978-2-09-202240-5
N° d'éditeur : 10165633
Dépôt légal : janvier 2010
Imprimé en Italie

ZOO

Tout près de l'entrée, il y a des 
tortues

avec de jolies carapaces.

T'choupi les regarde à peine et ronchonne :

– Moi, je préfère les singes !

Heureusement, papa lui montre

un 

.

T'choupi est très impressionné :

– Il a l'air méchant, avec ses grandes .

dents

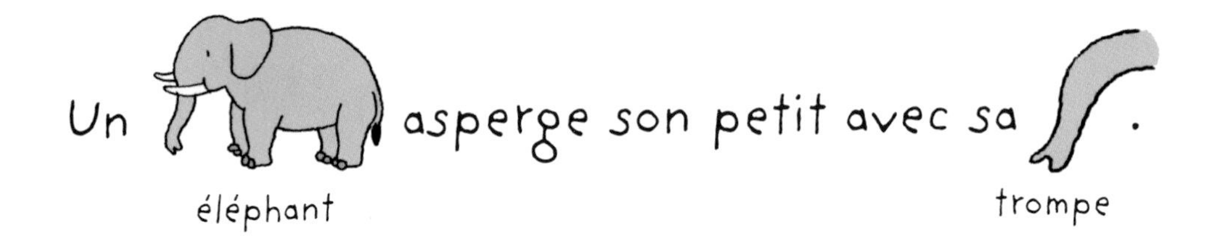

Un éléphant asperge son petit avec sa trompe.

– Lui aussi, il a de grandes dents !

dit T'choupi.

– Ce sont des défenses, explique maman.

Elles ne servent pas à manger,

mais à se bagarrer.

Voici la maman  et ses petits.

ours

Le gardien leur distribue des  .

poissons

T'choupi ouvre des yeux ronds :

– Ils sont affamés, les  !

oursons

Et voilà la  au long cou.

girafe

– Regardez ! Elle est avec son petit ,

girafon

s'exclame T'choupi tout attendri.

Devant l'enclos des  kangourous,

T'choupi se met à faire des bonds partout.

Un bébé kangourou sort la tête

de la 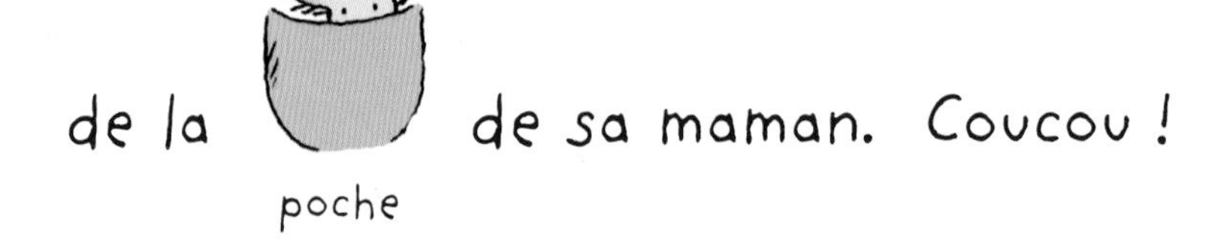 poche de sa maman. Coucou !

T'choupi continue à sauter dans l'allée.

– Dépêchez-vous, je veux voir

le  , là-bas !

chameau

– C'est plutôt un , remarque papa.

dromadaire

Il n'a qu'une seule bosse.

Un peu plus loin, le se repose

près de ses . La rugit.

Fanni se met à pleurer.

– N'aie pas peur, Fanni, dit T'choupi

pas très rassuré.

T'choupi aperçoit les singes.

– Les voilà enfin ! Mon préféré,

c'est le  !

gorille

Mais ceux-ci, ce sont des 

chimpanzés

et des !

ouistitis

Fanni s'agite et montre une 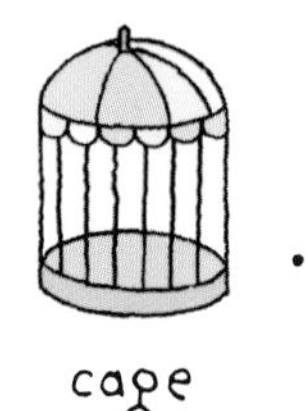 .

cage

Dedans, des oiseaux de toutes les couleurs

chantent et se balancent.

– Tu as raison, Fanni, s'écrie T'choupi.

Les perroquets sont encore plus rigolos

que les ouistitis !

Dans cette scène, retrouve les animaux que T'choupi a vus au zoo :

l'éléphant,
la girafe,
le girafon,
le lion,
la lionne,
les lionceaux,
le kangourou,
les chimpanzés,
les ouistitis,
le dromadaire,
l'ours,
les oursons,
le crocodile,
les perroquets,
les tortues.

T'choupi

le gorille

les oursons

le crocodile

la girafe

l'éléphant

le singe

le lion

les billets

les ouistitis

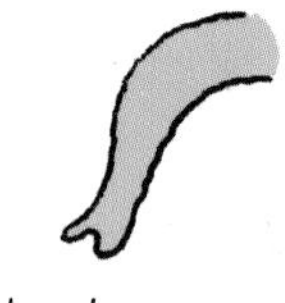

la trompe

le kangourou

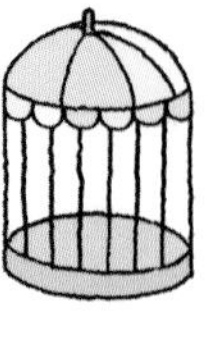

la cage